阅读天津

罗澍伟 主编

津渡
FERRY
CROSSING

年画绘百态

张玲 著

天津出版传媒集团
天津杨柳青画社

图书在版编目（CIP）数据

年画绘百态 / 张玲著. —— 天津：天津杨柳青画社，
2022.10

（阅读天津·津渡 / 罗澍伟主编）

ISBN 978-7-5547-1172-9

Ⅰ.①年… Ⅱ.①张… Ⅲ.①年画–介绍–中国
Ⅳ.①J218.3

中国版本图书馆CIP数据核字(2022)第159486号

年画绘百态
NIANHUA HUI BAITAI

出　　版	天津杨柳青画社	
出版人	刘　岳	
地　　址	天津市河西区佟楼三合里 111 号	
邮购电话	（022）28350624	

策　　划	纪秀荣	任　洁	杨　文
责任编辑	田　瑾	陈　曦	
装帧设计	世纪座标	明轩文化	刘　翔
美术编辑	江　楠	郭亚非	汤　磊
资料整理	孙笑曈	牛　希	
摄　　影	赵　宇	齐镇宇	陈　畅

印　　刷	天津海顺印业包装有限公司
经　　销	新华书店
开　　本	787 毫米 ×1092 毫米　1/32
印　　张	5.375
字　　数	60 千字
版次印次	2022 年 10 月第 1 版　2022 年 10 月第 1 次印刷
定　　价	36.00 元

阅读天津·津渡

HOW TO READ TIANJIN

FERRY CROSSING

主编的话

罗澍伟

乘着凉爽的秋风，"阅读天津"系列口袋书第一辑"津渡"，翩然而至，饱含播种的艰辛和收获的喜悦。

天津，是国家历史文化名城，是一座因河而生、因海而长的城市。河与海，丰富了这座城市的历史与生命，让她既传统又时尚，既守正又包容，既质朴又浪漫，多元文化在这里相遇。一年四季，这座城市总是仪态万方、光华夺目，散发着永恒的人文魅力。

"津渡"，以上吞九水、中连百沽、下抵渤海的海河为蹊径，深情凝视这座城市的岁月过往，又经由现代价值的过滤，带领读

HOW TO READ TIANJIN
FERRY CROSSING

者重返时间洪流，感受津沽大地所存储的厚重记忆。十本图文并茂的普及性读物，涵盖了海河的历史悠久、运河的遗存丰厚、建筑的精美绝伦、桥梁的琳琅满目、洋楼的名人荟萃、工业的兴盛发达、美食的回味无穷、年画的意蕴深厚、方言的风趣幽默、文学的乡愁悠远。英国浪漫主义诗人雪莱说："历史是'时间'写在人类记忆中一首循环的诗。"认真阅读，既可以领略这座城市源远流长、群星璀璨的深层历史况味，又可以与这座城市异彩纷呈的多元文化来一场愉悦的邂逅。

"津渡"，配有一份精致的手绘长卷《海河绘》，以杨柳青木版年画特有的丹青点染，绘就一条贯穿"津城""滨城"的浩荡长河，上至永乐桥上的"天津之眼"，下达恢宏壮观的天津港；细致描摹两岸众多人文景观，组成了令人流连忘返的沽上美景。站在画前端详，可以直观感受到，水扬清波、直奔大海的海河就是整座城市的生命之源。

"津渡"，巾箱本，特别适合边走边读。漫步街巷与河畔，探寻蕴藏其中的城市文化精髓，可以得到一种满足、一种惬意、一种充实、一种厚重、一种遐思。在传统文化与现代精神的互动中，深入认识这座城市的文化创造力和当代价值追求，以及丰厚滋润的精神归宿，用阅读修养身心。

2019年1月，习近平总书记在天津视察时，作出了"要爱惜城市历史文化遗产，在保护中发展，在发展中保护"的重要指示。

"阅读天津"系列口袋书的出版，是传承发展中华优秀传统文化和守护城市文脉的生动体现，也是悠久历史文化与壮阔现实巨变的聚汇融通，更是深入贯彻习近平总书记重要指示精神的切实行动。爱惜和保护，让我们的城市敞开心扉，留住乡愁；创新和发展，让我们的城市充满生机，万象更新。

正是在这个意义上，热切期望"阅读天津"系列口袋书其他各辑，也能早日出版面世！

（主编系著名历史文化学者、天津市社会科学院研究员、天津市文史研究馆馆员）

画里画外阅津门

现代人类学先驱法兰兹·鲍亚士提出，人类学的研究，要把社会或文化当作一个整体来看。所以文化人类学的研究，往往需要哲学、考古学、语言学、社会学、政治学、经济学、心理学和历史学等多学科多领域的共同参与。

梳理与解读杨柳青木版年画，也需要借鉴文化人类学的整体思维观。在多维度的纵横交错中，杨柳青木版年画犹如一个人的生命曲线，在地缘环境、政治经济、社会习俗等不同因素的影响下，呈现出千姿百态的演化历程。

明永乐年间，京杭大运河疏通，漕运兴盛，使天津成为京师的门户和商贸兴盛之地，同时也带动了大运河沿岸杨柳青古镇的百业兴盛与木版年画的兴起。天津毗邻北京，是中国北方的商品集散地，也是戏曲、曲艺的大码头。一座老城的文化与经济，成就了杨柳青木版年画的鼎盛发展，技艺多手段、品质多层次、题材多样性，让杨柳青木版年画行销四方、声名远扬，以杨柳青镇为中心的地区也成为"家家会点染，户户善丹青"的中国北方木版年画的重要产地。

从第二次鸦片战争、晚清洋务运动，到八国联军侵华、北洋军阀混战……杨柳青木版年画经历了近百年的屈辱与自强、启蒙与变革、不屈与抗争、觉悟与重生。这一时期的杨柳青木版年画，在保留传统祈福纳祥题材的基础上，增加了时事新闻、新景物、新思潮等与时代同频共振的题材；西方工业革命推动了印刷技术的迭代，石版印刷术省时省力，而石印年画的出现，让坚持传统手工技术的杨柳青木版年画逐渐式微；抗日战争、解放战争时期，杨柳青木版年画濒临艺绝；新中国成立以后，国家扶持、国策驱力，杨柳青木版年画由此焕发出新的生机。

历经了社会巨变、技术兴替、生活变迁，杨柳青木版年画与时俱进地变换着模样，不断浸润着天津的城市性格，传达着天津人的愿望情感，传承着绵长的中华文脉。有它引导，我们能够穿越时光，走进城市的历史现场，听它诉说"如是我闻"。那里有往昔风云的兴衰缩影；那里有拍掌称绝的戏舞瞬间；那里有心灵寄托的民间信仰；那里有苦中作乐的生活期盼……

年画是中国人寻求心灵寄托的最优方案，是中国人祈福纳祥的新年期盼；它与中国人的喜怒哀乐水乳交融，与中国人的文化传统血肉相连。它承载岁月，承载今人对历史文化的回望，在时光隧道的那一头熠熠发光……

有幸，在本书的撰稿期间，天津杨柳青画社提供了近三千幅难得一见的年画图片。这些被学术界视为一手材料的古版珍品图样，为本书在呈现立意与观点时，提供了更加具体可视的依据。希望本书能抛砖引玉，让读者重新认识杨柳青木版年画，认识这个包容中国传统文化审美与内涵的民间艺术。

人已逝，物还来。

期待，包容了400余年民间智慧的杨柳青木版年画，成为我们新时代艺术的生命源泉。

张玲

2022年9月

目录
CONTENTS

01

年画绘百态

源

HOW TO READ TIANJIN
FERRY CROSSING

源

年画是中国重要的民间绘画艺术之一，形成于宋代，成熟并盛行于明清时期。年画的创作内容以家合为源，以福寿为盼，寄托了中国人民朴素的生活理想。"千门万户曈曈日，总把新桃换旧符"，年复一年，岁节时分，年画已然成了中国人装饰门户屋壁的必须品，其普及之众和传播之广，在中国众多民间艺术品中堪称"执牛耳者"。天津杨柳青木版年画以刻版印制与手绘结合的形式问世，是民俗节令装饰生活的民间艺术商品，具有典型的庆祝意味。杨柳青木版年画对于传统岁月时新话题的记录，让它承载了历史过往里民间的温暖、爱憎与期待，包容了艺术品生产的单调反复中积累的技术与价值。

宋代木版印刷工艺的成熟，为年画的量产和普及提供了技术基础，在中国十二世纪北宋都城东京（今河南开封），城内卖画者到处可见，主要印卖门神、钟馗、桃符等。孟元老的《东京梦华录》一书带我们畅游当年的盛景："瓦中多有货药、卖卦……纸画、令曲之类。终日居此，不觉抵暮。"又，冬至日，"御街游人嬉集，观者如织，卖扑土木粉捏小象儿，并纸画，看人携归，以为献遗"。"近岁节，市井皆印卖门神、钟馗……"

故宫博物院藏北宋画家张择端《清明上河图》中，汴河岸边一"王家纸马铺"，为中国最早的画店留下了影像。

宋 张择端 清明上河图（王家纸马铺一段） 故宫博物院藏

而在宋人李嵩《岁朝图》描绘的年节图景中，由近及远，贺年的宾客已在门前下马，仆人将门帖递交给应门童子，宅院的街门上贴有门神；院内孩童正兴冲冲燃放爆竹，主人迎来送往；室内摆有祖宗牌位及香烛供品，侧桌及旁屋备有茶点菜肴，院内竹树湖石清静优雅，与浓郁的节日气氛自成一体。

宋 李嵩 岁朝图

岁朝图（局部）

5

此时的文献虽未见"年画"一词，但记述于史料杂记画名中的纸画、画贴、门神、钟馗、消寒图、报喜图等年节民俗画，无不指向民间张贴年画的习俗已经形成。冬至和岁末的市场需要，显示了年画首先作为商品，不再只为护祐祈福而存在，开始出现广大民众喜闻乐见的世俗题材。

宋　佚名　九阳报喜图（局部）

清　李光庭　乡言解颐

"年画"一词初现在十九世纪中叶（1849年），清人李光庭《乡言解颐》记有："扫舍之后，便贴年画，稚子之戏耳。然如《孝顺图》《庄家忙》，令小儿看之，为之解说，未尝非养正之一端也。"

庄家忙　贡尖　106cm×60cm　版印笔绘

年节习俗所需，加之版印技术的成熟，年画发展至清代中期，已广布于全国各省70多个地区，并在地域风俗、装饰审美、生活愿景等因素的作用下，呈现出多元的艺术风格。

苏州桃花坞年画　一团和气

陕西凤翔年画　吉庆有余

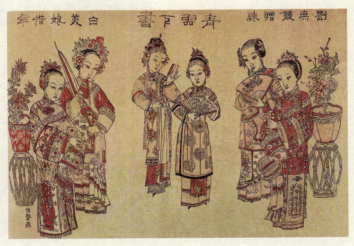

河北武强年画　刘无双赠珠 青云下书 白美娘借伞

年画产地的经营者，有以之为副业的独家小户，也有具备雄厚资本及拥有众多工人的画店作坊，而印制与售出所依靠的地理环境，始终是生产经营者的成就保障。

天津毗邻北京，地处九河下梢，由漕运而兴，大运河贯通南北，人流、商品因水路而迅速互通。位于天津市西的杨柳青镇坐落于京杭大运河由北京转道河北、山东的南运河上，三河交汇、水系发达，是沟通南北的漕运重镇。明代在杨柳青镇设立的水路驿站，亦是中国古代物流中等级最高的"极冲级"驿站，足见其地理位置的重要性。

士农工商财发万金　贡尖　100cm×61cm　版印笔绘

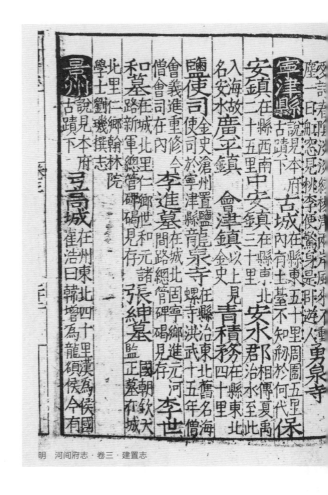

明 河间府志·卷三·建置志

这样的交通要地，始终以"可行、可望、可游、可居"的诗与画留存于历史星河。明《河间府志·卷三·建置志》收录了弘治年间礼部侍郎程敏政的文字："地名杨

程敏政《楊村驛逆風》"通夕忽忽無言裡，悠悠不寐不成眠。幸窺蓬荜前，人道中天悸處上水寒。烟風認水村，數聲山犬吠雛前。楊村道中，幾荒七歲炊。中無限詩情在，欲到一白雪相饑好客溪邊。敏政青蓮思倡侣。田空剩草村畬澗，石如牛馬一飲，天日落似鵶背七歲炊。恨然流水門前別，翻白沙鷗了一尊前，山雲疊青離思紛紛。都憲初頃倒敏政青到金蘭瞿古祐楊柳青詩昔聞程學。鍾今見楊柳黃三秋既迫暮回又午夜仍香柔萋萋霜黃枯葉互辭楊柳。節不辭頃倒敏政天敏暮陽行此聊人何府以堪什桼酒宋訥日乘舊。除氣運長相參為物待短歌行在備人樂府何在喧河邊烏邊雀縛一。青青根存生黃意稍尚春。過古極停雲密竹輕撑異小青小年人家猶有刘霜禾。昏楊柳青詩作枯把竹輕撑異。枝青今見楊柳黃。蘆厚覆低低把輕枇烟柳立鴛鴦眼前莫究與空事覽理華更伯。輕樵烟柳立鴛鴦眼前莫究與空事覽理華更伯一。

柳青，园林隐映可爱"，及其诗："春阴淡淡绿杨津，两岸风来不动尘。一日船窗见桃李，便惊身是卧游人。"

清代崔旭《杨柳青谣》记有：

清釜鱼羹气味腥，

小船偶傍树荫停。

依炊香饭郎沽酒，

两岸春风杨柳青。

织蒲女嫁弄船男，

裙子深红袄浅蓝。

小轿一乘船载过，

郎在河北妾河南。

渔家乐　贡尖　101cm×61cm　版印笔绘

关于杨柳青木版年画的源起，中国民间美术史论家、民间美术收藏家王树村先生，以当地较早的年画作坊"戴廉增画店"家谱记载的代次进行了推算，得出结论"杨柳青年画昉自明万历一说，是可置信的"，杨柳青木版年画存续距今已有400余年。

明永乐帝修缮的京杭大运河，并非畅通无阻，沿途因地势高低不等，少不了经年建闸垒坝、裁弯取直，而漕船运行还需

要船工苦力翻坝、拉纤等苦差，为"优恤运军"，明代官方规定漕船可以携带货物，自由在沿途贩卖。漕船附货称为"土宜"。到了清代，政策进一步放宽，所过关津，免予输税。因土宜不用交税，不少商人便搭载漕船运输商品，大大降低了商品的运输成本。清代李文治、江太新所著《清代漕运》一书中，统计了土宜的品种，表格显示出十二类百余种商品，包括农产品、棉纺织品、丝织品、油类、漆类、食品、纸张等，杂货类的"蓝靛、铜绿、胭脂、银朱、松香"等均为绘画颜料。

清　潞河督运图（局部）　中国国家博物馆藏

清　运河秋景

清代杨柳青木版年画《运河秋景》中，河上粮船一艘，岸边船夫拉纤，空中雁列成行，远处帆舸相望，风景殊胜，热闹非凡。冬日，运河结冰，漕运休停。然而，腊月的杨柳青，并无萧瑟之感。"腊月天，卖年画，对联样本墙上挂"这句清末至民初还在流传的方言俗语，见证了旧时腊月运河岸边的杨柳青镇上，年画市集热闹的景象。河沿街、估衣街、后席市大街一带，通街大小作坊画店林立其间，门神画牌、新刻画样高挂，彩幌遥对，金匾夺目，客商挨家串户，翻阅作坊新出的画样，近郊村镇农户趁圩赶集，街上一片繁华胜景。

毗邻京城，物流、人流、交通流，一众经济成长的必要元素不断聚沙成塔，为杨柳青镇成为北方地区木版年画的核心产地，提供了能量基础，让杨柳青木版年画的艺术水平与时俱进。

02 年画绘百态

品

HOW TO READ TIANJIN
FERRY CROSSING

品

明代经济的繁荣，促使市民文化活跃，小说传奇、戏曲杂剧等在民间流行。插图成为普及读物的有力形式，书商对此非常重视，不断增加插画篇幅，精工细刻。书籍刻印的发展，使套色雕版印刷技术飞速发展。明代胡正言主持雕版印刷的《十竹斋画谱》《十竹斋笺谱》，首创拱花印刷技术（压凸印刷），在中国的印刷史上贡献了划时代的成果。与之结合的多版套色技术，为彩印年画提供了技术经验。

花瓶　条屏　28.5cm×118cm×2　版印笔绘

木版水印是典型的拱花印刷技术

　　明代雕版刷印图书大体以南北两京为中心。明太祖建都金陵，永乐年间迁都北京。因两京都设有国子监，所以与刻版刷印有关的文化活动，逐渐形成了南方以南京、北方以北京为主的局面。城市市民的文化需求和审美特点影响了周边的生产制作行业，促使年画生产步入新的阶段。北方年画核心产地的商家无疑感知到了京城庞大的市场需求，并通过提升技术迅速跟上了时代的步伐。

母子图　三裁　41cm×78cm　版印笔绘

杨柳青木版年画在刻印、套色的基础上，追加了绘画工艺，制作中先印再绘，以便达到更加细腻的艺术效果。在套出主要色彩之后，其衣饰等部位用人工填色彩绘，特别是人脸要用手工晕染，进一步勾画眉眼，使其整体接近绘画效果。除画师起稿和刻版师刻版外，套印和手工绘画的好坏直接关系到画的最终效果和质量，它是一件集体合作的成品。

墨线版

黄色套版

红色套版

绿色套版

蓝色套版

1 勾稿又称过稿，是用薄且透明的纸在画师创作的原稿上进行誊描。勾出的线条不仅要体现原作艺术性的笔法，还要兼顾适宜刻版的笔力。

2 刻版包括墨线版和套色版，材料用杜梨木或梨木。刻工以线条为依据，以刀代笔，剔刻出具有动感的边界。刻版技术是体现画稿水平的关键，是对画稿的二度创作。

3 套印是年画的普遍生产方式。印墨线使画面有了轮廓，套色是在轮廓的基础上分布色彩。杨柳青木版年画的一般套色顺序是：浅墨、黄、橙、绿、蓝、大红。

4 彩绘是在套印结束后，用手工绘制人物的头脸、衣饰花纹及背景的细微部分，活细费工，但成品明显区别于套印呈现的版画效果，更像是一幅完整的绘画作品。

勾

刻

印

绘

这样的结合，既利用了印刷墨线与套印色彩相结合的艺术成果，又利用了版印可以批量生产的成本优势，附加的手绘工艺极大提高了画面的品质，满足了文化市场对于精品年画的需要。一张年画统一了那个时代最新的技术和最优越的审美视角，技艺历经反复锤炼，形成了一整套稳定的工艺流程。

第一步，画师或聘请的画家，为年画作坊绘制画稿；

第二步，画师将纸附在定稿（又称粉本）上，勾出墨线稿；

第三步，刻工将墨线稿反贴在木板上，雕刻出墨线版；

第四步，印工将墨线版印出样张，再由画师根据定稿画面，用五至八种颜色分布于画面，设计出套色部位，逐色点出色块，称为"点套"；

第五步，刻工再雕刻出每种套色版，常见有浅墨、红、黄、蓝、绿、紫、粉等色，用于套印；

第六步，将纸固定在印案一侧，按照墨线版、套色版的顺序依次刷印，渐次完成"画坯"；

第七步，画工配制胶矾水，将"画坯"固定于如门板一般的"画门子"上，进行手绘。

制画的工艺流程丝丝入扣，在工业生产标准化的今天，也是值得研究借鉴的。

刻刀

辅助刻刀

棕刷

棕耙

印案

画门子

杨柳青木版年画是民间艺术商品，不仅要工艺精准、减省人工物力，风格亦必遵循商业之道。杨柳青镇毗邻北京、天津两座中国的大都市，北京是政治文化中心之城，天津既是北京的卫城，也是商业中心城市；杨柳青镇上的商家从无意到有意，对题材内容、工艺风格、审美取向，考虑这两城消费者的部分自然最多。

杨柳青木版年画根据不同层次消费者的需要，大致分为粗活和细活两种不同的风格（细活又有二细活的等次）；细活画工细腻，套色准确，间色用得较多，作为高档产品输

十美图放风筝　贡尖　103cm×67cm　版印笔绘

穆桂英大破天门阵　贡尖　103cm×57.5cm　版印笔绘

入到北方地区的大城市，俗称"卫画"，此或可解读为昵称。粗活画工粗犷，生产过程快，用色强烈，能够明显体会到在批量绘制中挥洒画笔的简单恣意。

　　粗活和细活还体现在因印刷时间导致的不同，上半年生产的"春版"年画，是春节过后绘制的，此时画工有充裕的时间细心加工，质量较好，多为细活。下半年生产的"秋版"因趋近春节，各地画商渐至，画工以赶制粗活为主。这种因时因工而形成的制作方式，竟也造就了杨柳青木版年画中两类大相径庭、各有千秋的艺术个性。

在谢赫《古画品录》中，将三世纪至四世纪中国古代绘画技艺总结为"六法"，包括气韵生动、骨法用笔、应物象形、随类赋彩、经营位置、传移模写，是中国历代画家、鉴赏家品读绘画作品的基础理论。尤其"骨法用笔""随类赋彩"用作解读的最多。"骨法用笔"是对线条运用的评价。"随类赋彩"是指根据创作对象的不同，巧妙地进行色彩搭配，达到色彩的表现力。

杨柳青木版年画由画师起稿，遵循画理自不在话下，但画工、刻工据此法，则显示出劳动人民的适应力和创造力。画师依照"骨法用笔"绘制墨线稿，刻工以"陡刀"出"立线"雕出线条，木线立而不损，木版才能多印、耐磨、不走样。套色则让小色块分布于画面全局，聚散错落，交织出丰富的色彩节奏，生成全新的色彩空间与层次，造就了杨柳青年画独有的"版味"。

连生贵子　斗方　48cm×48cm　墨线版和套色版

用色一部分来自画师的搭配习惯或色彩偏好，更重要的是在点套分布色块时，根据人物个性、情节气氛，再结合消费民众所喜，将五至八种颜色"随类赋彩"。在颜色的整体运筹中有两种基本样式，一种是用较强烈的颜色铺开全局，形成热闹欢快的气氛，多为装饰性强的吉祥喜庆画，如《五谷丰登》《连生贵子》等。

连生贵子　斗方　47cm×47cm　版印笔绘

另一种是素雅调子为主，抒情柔美，和谐清雅，多为故事画、风俗画，如《荷亭消夏》《苏小妹三难新郎》《耕织全图》等。

荷亭消夏　贡尖　108cm×62cm　版印笔绘

清康熙末年，社会经济得到恢复和发展，人民生活渐至安定，年画作坊也开始扩大，杨柳青木版年画工艺日臻完善和提高。这一时期的作品虽仍以传统题材为主，但已经开始用象征寓意的手法来表达对生活幸福、子孙昌盛的希望。

清代中期，伴随城市手工业和商业的发达，杨柳青木版年画的题材较以前增加了娱乐性、装饰性，风格也开始由雅逸向热闹发展，画中人物增多，背景丰富，结构复杂，色彩由深沉厚重转向柔丽妩媚，即便是传统的仕女娃娃画，也偏重于人物衣饰及桌案屏格的细节描绘。从事年画行业的手工业工人，包括了画工、刻工、刷工、裱工、造纸工的全行业，著名的戴廉增、齐健隆、李盛兴、荣昌号、爱竹斋等字号在当时皆分设作坊，广聘画师开版雕印，年画内容无所不包，杨柳青木版年画发展至此进入最为繁盛的阶段。

平安富贵　三裁　58cm×39cm　版印笔绘

抚婴图　贡尖　109cm×61cm　版印笔绘

年画绘百态

03

盛

HOW TO READ TIANJIN
FERRY CROSSING

盛

缸鱼　51cm×72cm　版印笔绘

　　十八世纪清代乾隆年间是杨柳青木版年画艺术的黄金时期，以杨柳青镇为中心，呈现出"家家会点染，户户善丹青"的盛况。"年画作坊通街皆是，画牌相招，彩幌遥对"。包括周围的古佛寺、炒米店、张家窝、木厂、新口村等36个村庄，从事年画相关行业的工人至少有三千人之多，其中画师、雕版师达数百人，每名画师一年可出七八十张画稿，创作数量颇为可观。

　　立足核心产地，四通八达的交通线路形成了销售网络，也交流了画师、匠人，融通了艺术资源。杨柳青木版年画行销至全国各省，甚至远及内蒙古、新疆、黑龙江等地，对河北武强、山东潍县、陕西凤翔等年画产地，均产生了一定影响。画店根据不同地区人民的爱好进行创作，上可服务宫廷，下可愉悦百姓，每年的新样被各地同行所期待和模仿。以至于画店再刻新版时，边栏常刻印"预先通知，丰镇同行，忌翻此版，小号谢谢"等字样，也有恨极施咒的，虽不足取，却足见其行业影响力。

年画的经营和创作均以画店的经营者为中心，为适应各类家居环境和各地区、各行业不同习俗，画商创造了不同开张大小、横竖方直的体裁形式，近二十类五十多个品种，略为：屋内贴的贡尖（中国传统造纸整张纸是二尺乘四尺，这一尺幅多为皇宫或富贵人家所需，商家优选初版精品，得名"贡尖"，现专指尺幅）、三裁（由整张纸横裁三等份而得名，是年画中印量最多最普通的形式），店铺挂

潇湘清韵　贡尖　103cm×63cm　版印笔绘

的屏条，结婚用的喜对，迁居祝寿应酬送礼用的贺对、中堂，粮囤影壁上贴的方福字，缸上贴的游鱼，窗格装饰用的天光子，记录节气的历画，游戏用的《升官图》《七十二行》；乃至蒙古包里悬的格景，西北地区寺院里挂的洋林；供应演唱艺人的洋片，木工铁匠等手艺行供奉的祖师像等。

福字　斗方　51cm×51cm　版印笔绘

禧寿字（格景）　贡尖　56cm×95cm　版印笔绘

大品牌永远是行业的风向标，"廉增、美丽、廉增丽；健隆、惠隆、健惠隆"，两个年画作坊及其分号的名称被编成民谣而流传，见证着杨柳青木版年画的产业盛况。"戴廉增"由戴氏先人在明代万历年间从江南沿运河北上，迁至杨柳青镇定居，至清代乾隆年间，戴氏第九代以名为号，建立"戴廉增"年画作坊。"齐健隆"由齐氏先人在明朝永乐二年（1404年）从山东黄县迁至天津静海起，先在清代康熙年间于杨柳青镇定居，以裱画为业，至嘉庆十九年（1814年），建立"齐健隆"年画作坊。

骠（镖）打秦由　贡尖　93.5cm×54.5cm　版印笔绘

"戴廉增"以规模最大、品种最多著称，而"齐健隆"以画艺精湛、推陈出新而闻名。两大画店每家都有五十多个画案、二百多名工人，每年要印两千件（每件五百张）以上。

画店之间的竞争主要在于画面内容，在传统喜庆特色外，画师不断将时新的戏剧、曲艺、音乐、小说等引入创作内容。比如：世俗生活里的渔樵耕读、士农工商；历史故事中的功臣良将、清官廉吏、儒林隐士，以及名山胜迹、鲜花奇草，几乎无所不包。年画销售情况通过经营渠道反馈到画店，决定了下一次调整的品种和创作的内容。创新产品的题材大

晴川阁重阳节登高图　贡尖　107cm×57cm　版印笔绘

完璧归赵　贡尖　103cm×56cm　版印笔绘

完璧歸趙

白起

都由店家拟定，画师在接到命题后，反复推敲修改，经店家认可才能定稿。创作年画的画师多数来自基层劳动者，有社会生活的积累，对民众所盼有深刻的了解，粗读经史小说、略通文墨，使得艺术表达方式出现了写实、写意与超现实的民间美术形态。

风俗生活年画

风俗生活年画以春节拜年、发财还家、科举高中、状元及第、厅堂祝寿、财神叩门等内容最为常见，多是渲染阖家欢乐、欢聚一堂、生活富裕的喜庆场面，对生活情节刻画得生动具体。如《新年多吉庆　合家乐安然》描绘五世同堂的大家庭，人丁兴旺、金银满囤；华堂上彩灯高悬，屋门前肥猪拱门而入，象征财源茂盛；人们兴冲冲地拜年、辞岁、包饺子、玩纸牌等，呈现出一派富庶和美的生活景象。《迎接福寿喜财神》《状元及第　财中得喜　喜中得财》

新年多吉庆 合家乐安然　贡尖　97cm×62cm　版印笔绘

《发福生财招宝马堆金积玉引钱龙》中，厅堂庭院里康健的老者、贤淑的妇人、跃动的孩儿们，天上人间各路财神会聚，金银珠宝从天而降，金马驹驮来聚宝盆，与财富相关的吉祥元素都展现在画面上，给平日清苦的日子带来了极大的希望。除了表现家庭生活外，画新年活动的高跷、舞狮、龙灯、旱船等，还有《瑞雪丰年》《春风得意》《吉羊（祥）如意》的命题应景之作，寓示新春吉兆。

发福生财招宝马
堆金积玉引钱龙
对楼
68cm×117.5cm×2
版印笔绘

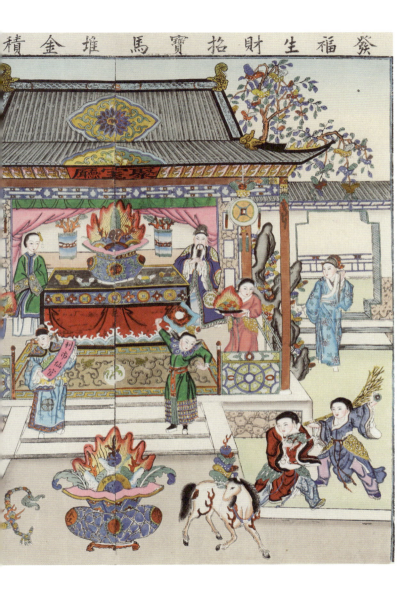

積金堆馬寶招財生福發

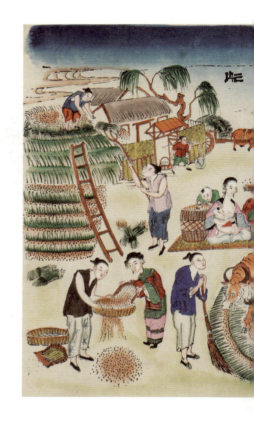

万年的庄家忙
贡尖
100cm×58cm
版印笔绘

描绘农人喜获丰收的现实生活场景，是各家画店永恒的题材，存世的杨柳青木版年画中这类"庄家忙"的画近十种，如《庄家忙》《耕织全图》《同庆丰年》《连连有余 喜庆丰收》等，呈现不同的农业劳动场面，洋溢着人们丰收的喜悦。清代李光庭《乡言解颐》："赚得儿童喜，能生蓬荜辉。

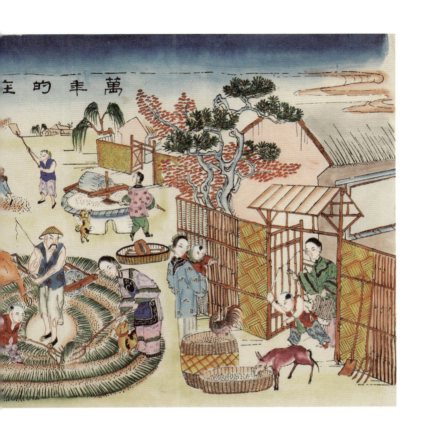

耕桑图最好，仿佛一家肥。"说的就是这类题材受欢迎的原因，可见庄稼丰收最贴近世人现实愿望。由于画师对农民生活非常熟悉，有些正是放下锄头，拿起笔杆，创作这样的画面可谓信手拈来。如图所见，《万年的庄家忙》表现丰收场上繁忙欢乐的景象，人们在扬场、碾场、入囤；劳动间歇

秋江晚渡
贡尖
101cm×60cm
版印笔绘

中，农妇抱着婴儿喂奶，小孩赶走啄粮食的鸡；各情节之间
相互关联照应，安排得妥帖自然。

　　还有一类表现渔樵耕读、士农工商的画，如刻画人物较
多的《秋江晚渡》，郊外渡口边聚集着等待的人群，有赶考

的书生、卖花老人、江湖郎中、打柴樵夫及农民；渡船上，船工撑竿摇橹，贩夫走卒聊天赏景；河岸边，牧童在牛背上手抓小鸟缓缓而来；近处茶酒馆旗幌飘摇，远山古刹飞雁，安定平和的景象充满诗意。

美女娃娃年画

娃娃画从宋代起就非常流行，清代娃娃的式样最多，寻常家庭的炕头（旧时由砖垒成的"床"）墙上大都要贴一张胖娃娃年画，表达希望后代兴旺的心愿。娃娃形象俊美健康、情绪欢快、鲜明生动，令人心生喜悦，有人物众多的《百子图》，有表现欢乐游戏的《闹学顽戏》《九子登科闹学》，还有突出儿童健康可爱的"大粉娃娃"（因脸部突出，绘制精美而得名）《宝马驼（驮）来千倍利》《钱龙引

宝马驼（驮）来千倍利　贡尖　100cm×62cm　版印笔绘

进四方财》。杨柳青木版年画中，娃娃画法最为精绝，一张大脸娃娃要分别对二十多个局部进行描绘。画工创造了专业术语，代代相传。

面部皮肤：上粉脸、染脸、勾脸、烘脸、罩脸、出相子；

眼睛：点眼白、点眼球、打兰眼、开浓眼、染下眼皮、开薄眼、水眼、点眼肉；

嘴唇：点嘴出线、染嘴、上嘴；

头部：青头皮、打水鬓（染头发）。

钱龙引进四方财　贡尖　100cm×62cm　版印笔绘

娃娃画大多以谐音、寓意的画名表现人们对吉祥美好生活的期盼。如背景装饰牡丹、芙蓉的《荣华富贵》，花瓶中插有三戟的《平升三级》，花瓶和如意组成的《平安如意》，以帽、玉带和车船玩具合成《冠带传流》，雄鸡和牡丹寓意《功名富贵》。这类组合在杨柳青木版年画中不下几百种，最著名的当数画有荷花、鲤鱼的《莲年有余》。

即便在古代，美女年画也有古典美女和时装美女两种，古典美女包括历史上的美人、才女、侠女和神话中的天仙女神；时装美女则描绘了当时穿着时尚的居家女性，常日里的游春、拜月、围棋、观花、梳妆等。无论是青春妙龄的年少女娘，还是与孩子同戏同乐的婉约少妇，或是有仆从相伴的端庄老妪，必是铺陈出美景，记录了温情、雅致的幸福时光。

冠带传流（局部）　三裁　62cm×24cm　版印笔绘

莲年有余　贡尖　102cm×58cm　版印笔绘

福善吉庆　贡尖　115cm×66cm　版印笔绘

小说故事年画

　　元、明、清三代是小说创作非常活跃的时期，相继出现了长篇章回小说《水浒传》《三国演义》《西游记》《封神演义》《精忠全传》《杨家府演义》《红楼梦》等，这些小说以鲜明的主题、曲折的情节和细腻的描写为群众所喜爱。1600年至1900年，全国粗通文墨的人数300多万，当时的人口数量大约是4亿，识字率仅占人口数的1%左右[①]。神话、话本、传说、故事、寓言等口头文学，都是不识字的人的文化来源。故事中波澜壮阔的历史、英雄豪杰的气魄、百转千回的爱情，以画面的形式与中国百姓的心性浑然一体。

　　杨柳青木版年画中，历史故事题材占有相当大的比重，时间跨越了商周、战国、隋唐、两宋及至元明等朝代，如《洪锦伐岐》《禹王治水》《孔子问答》《重耳走国 楚成王打猎》《文王爱莲》。仅取材于《三国演义》的年画，综合起来就有

[①] 注：统计数字出自何炳棣的《明清社会史论》与罗伯特·马什的《官宦：1600—1900 年中国的精英流动》。

洪锦伐岐　贡尖　104cm×60cm　版印笔绘

禹王治水　贡尖　94cm×55cm　版印笔绘

以下六种：吉庆有趣的情节，如《回荆州》《龙凤配》；表现人物超人智慧与胆略，如《借东风》《黄鹤楼》《空城计》；刻画关羽、张飞、赵云等忠勇英武的形象，如《八门金锁阵》；歌颂刘备礼贤下士和诸葛亮足智多谋，如《三顾茅庐》《黄鹤楼》；定计剪除权奸的故事，如《连环计》《凤仪亭》；渲染盛大的热闹场面，如《铜雀台》等。

八门金锁阵　贡尖　108cm×66.5cm　版印笔绘

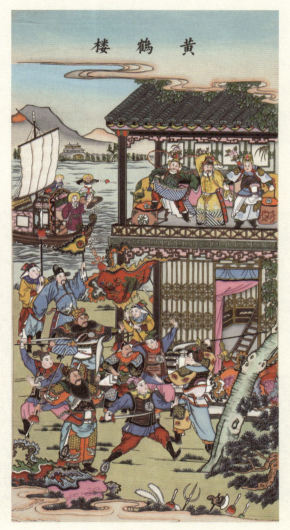

黄鹤楼　贡尖　47cm×92.6cm　版印笔绘

爱情故事以表现"有情人终成眷属"为主，如《西厢记》《白蛇传》及"牛郎织女"故事。其中《白蛇传》的场景为杨柳青历代画师所钟爱，最早见于清代齐健隆画店刻印的《瑞草园》，后期有的将故事情节连续地画在一幅画中，有的根据舞台演出场面画成单幅画。在《水漫金山》中，有白蛇率水族精灵向法海进攻的海陆空全景，充满想象力。

西厢记（局部） 三裁 47cm×35cm 版印笔绘

水漫金山 三裁 58cm×33cm 版印笔绘

清代小说最有影响的当数《红楼梦》，北京竹枝词有"闲谈不说《红楼梦》，读尽诗书也枉然"之说，较早的是嘉庆年间的《暖香坞制春灯谜》。随着《红楼梦》在当时各阶层的风行，画商即刻响应，题材之多堪比《三国演义》，但与之不同的是单纯选择了《红楼梦》中描绘优雅气氛和团圆美景的情节。《红楼梦怡红院》《四美钓鱼》

四美钓鱼　贡尖　104cm×58cm　版印笔绘

《潇湘清韵》《林黛玉重建桃花社》《大观园游莲池》等，无一不是表现闲适的内宅生活。戴廉增画店刻印的《大观园》，全画30余人，《红楼梦》中的重要人物几乎悉数出场。

红楼梦怡红院　贡尖　107cm×65cm　版印笔绘

清代末期还出现了《红楼梦》的故事套本，人物场景旁衬托博古花卉，整幅画面再以古钱花图案的画框装饰，融合了国画册页和书籍版画插图的形式，如同现代连环画一般。

戏曲年画

　　明清之际，各地方剧种纷纷兴起，除剧场演出外，城乡各地还在节日、庙会、庆祝等环境中搭台唱戏，有历史悠久的弋阳腔、昆曲，也有充满地方情调的秦腔、梆子、二簧调。清代中期形成的京剧融各剧种所长，以适应京都观众的艺术欣赏趣味，进而成为风行全国的最大剧种。北京的戏曲演出异常活跃，百戏杂陈，名伶献艺。据统计，仅道光二十年到二十九年，北京城里就有13家戏园，戏班150个之多，周边凡是大一点的村子至少每年请戏班唱一回戏①。1824年，崔旭在《津门百咏》中为《戏园》赋诗："戏园七处赛京城，纨绔逢场皆有情。若问儿家何处住？家家门外有堂名。"记录了当时的潮流风情。

　　民众在欣赏戏曲中，不仅获得视听享受，而且熟悉了历史知识，抒发了他们对英雄人物的赞美，对善恶美丑的道德判断，对爱国主义精神的崇敬。"戏曲有声，年画无言"，戏曲即时出现在年画中，反映着那个时期老百姓追逐时尚娱乐的文化生活状况，"画家和演员发挥各自的想象力，最终殊途同归"。

---

① 注：数据出自俄国汉学家王喜里《中国文学史纲要》。

戏曲构成主要包括创作和表演，创作题材无不来自前代的故事传说和当时流行的小说话本，由其中一个情节创作的一个剧目叫一出戏，因此戏曲年画又称"戏出年画"。京剧的流行被当时敏感的画商们注意到，随之出现了大量的戏出年画，传播到那些无法观戏的远乡僻壤。画店老板不惜花重金聘请画师，到戏园现场描摹。画师携带用柳木烧制的炭条或烧焦的香头和毛边纸，观察演员的表情身段、举止动作、衣帽行头、五行把子（指道具）等，每到戏中情节感人、表演精绝处，画师立刻在纸上勾出所见的瞬间印象，以达到准确传神。

杨柳青木版年画的戏出题材达数百种之多，就画师创作的方式来分，可以分为虚拟与写实两类。虚拟一类中，多与小说故事类的年画互为表里，令人无法区分，互证起来有研究价值，观赏时又极为有趣。如《张辽威镇逍遥津》《牛

张辽威震逍遥津　贡尖　106cm×64cm　版印笔绘

辕门射戟（实景戏装） 贡尖 97cm×59cm 版印笔绘

头山》场景是实景，人物按戏装脸谱扮相，坐骑是真马，手握真枪真刀。

　　同为《辕门射戟》，一幅真景戏装，一幅戏台戏装；前者似是以戏说书，后者应当是舞台实录。还有《乾隆下江南》这样的新闻图片，画师让这位著名的清代皇帝穿上了戏装，走在乡间小路上，陪同的太监如唐玄宗身边的高力士一般，路人更像是观众，没了敬畏，瞬间令人莞尔。

辕门射戟（戏台戏装）　贡尖　69cm×107cm　版印笔绘

写实一类中，大量的是刻画一出戏的名场面，表现人物瞬间的身段动作，偶尔也会出现真实道具，像《秦叔宝卖马》《五梅驹》《药王卷》都画着真马、真虎。一幅"廉增戴记"出品的《长板（坂）坡》中，就没有刻画赵云为保护幼主奋战的情节，转而表现"刘备摔孩子"的名场面。看着画上的真娃娃，再看赵云俯身捧手的急切和刘备张开双臂的弃而不顾，令人不禁怀疑那时演戏不会是摔真孩子吧？

长板（坂）坡　三裁　52cm×34cm　版印笔绘

还有专门突出主要人物的，如《辛安驿》，既有美人画的精致，又配上了身段设计，仿佛观者置身于戏台之前；而《洛（落）马湖》则似明星定妆照，中规中矩地把人物排列在眼前。

辛安驿　贡尖　109cm×67cm　版印笔绘

洛（落）马湖　贡尖　84.5cm×62.5cm　版印笔绘

门神门画

绢地门神　贡尖　57cm×85cm×2　手绘沥粉

　　"门神"属于门画的一种，是年画中最古老、最普遍的题材，自成一体。其最早以虎、鸡为题材，又有《山海经》里的神荼和郁垒二神。后来门神多了将军朝官等多种样式，以秦琼、敬德最为常见。据《增补三教搜神大全记》载："门神即唐之秦叔宝、胡敬德二将军也。传唐太宗不豫，寝门外抛砖弄瓦，鬼魅号呼，六院三宫夜无宁刻，太宗惧之，以告群臣。叔宝奏曰，臣平生杀人如摧枯，积尸如聚

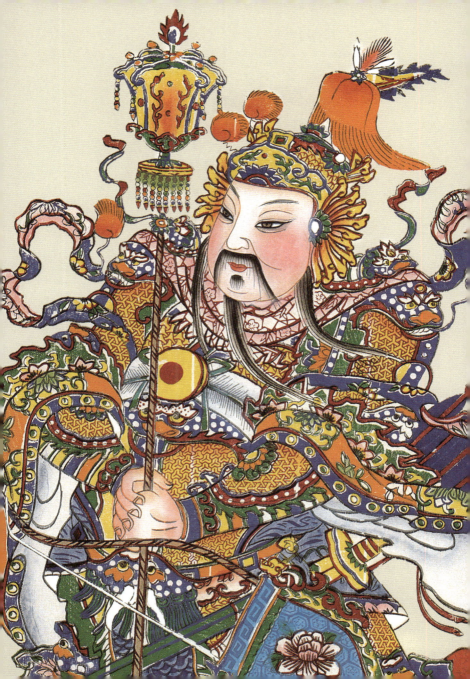

天官赐福（之一）　三裁　31cm×58cm　版印笔绘

蚁，何惧魑魅乎？愿同敬德戎装以伺。太宗可其奏，夜果无警。太宗嘉之，谓二人守夜无眠，因命画工图二人之像，全装怒发，一如平时，悬于宫掖之左右门，邪祟以息。后世沿袭，遂永为门神云。"

天官赐福（之二）　三裁　31cm×58cm　版印笔绘

　　至明代，小说的盛行使门神画杂糅成庞大的神仙体系，门画种类有街门驱邪的钟馗、二门赐福的文相、住房门上的仙女、仙童等，肃立于门房之上，护祐着每日生活。清代潘荣升《帝京岁时纪胜》："初十外则卖卫画、门神、挂钱、

云纹门神（之一） 贡尖 100cm×176cm 版印笔绘

金银箔、锞子、黄钱、马子（纸马）烧纸……"，到了除夕，"早贴春联挂钱，悬门神屏对"。此说"悬门神屏对"，是因为清代宫廷是油漆朱门，无法粘牢而有碍帝都观瞻，所以紫禁城内的门神画不是贴的，而是精裱后镶嵌在硬木画框中，除夕早上分类悬于各宫门上，过了正月由宫人取下，收藏在南池子门神库中。宫廷大内门庭高大，需要与人齐高的大尺幅门神。开在北京崇文门外打磨厂的戴廉增画店就绘制这种巨幅

云纹门神（之二） 贡尖 100cm×176cm 版印笔绘

门神，尺幅大小不一，大的五尺，小的不足一尺。尺幅大的工精活细，沥粉贴金、绿地白云，宛如壁画。

清代后期，小说故事里的人物开始作为门神入画，《封神演义》的赵公明、燃灯道人，《杨家将》的孟良、焦赞，《三国演义》的关羽、赵云，《东汉通俗演义》的马武、姚期，《隋唐演义》的李元霸、裴元庆，他们的事迹与美德连同人们的希冀一道长存至今。

纸马神像年画

　　"纸马"又称"神马""神祃""神码"等。宋代的纸马铺中，木版年画和神马一同售卖。因与木版年画除旧迎新的用途和印制方法相同，所以纸马逐渐被广义的木版年画所包含。元代以后，下编为匠户的手工业者，从集中在官办的工场作坊中解脱出来，手工业作坊得以发展。纸马的内容开始扩大到各行业遵奉的先师，鲁班（工匠行）、孙思邈（中医药行）、唐明皇（戏曲行）等真实人物加入到神像年画的行列中。每到新年，民间各类从业者为"答谢神恩"，买来祖师神马祭毕焚化，祈祝生意兴隆。清代赵翼《陔余丛考》记："后世刻版，以五色纸印神像出售，焚之神前者，名曰'纸马'。或谓昔时画神于纸，皆画马其上，以为乘骑之用，故称纸马。"纸马大致可分为新年祈福类、先贤祖师类、自然界诸神、宗教神佛四类，其中各行各业祭拜的祖师样貌遵照民间画师创作的影像传承至今。

增福财神　62cm×64cm　版印笔绘

风景花卉年画

年画中的山水画多表现各地的名山胜景或标注地方古迹，色彩都较为明快鲜艳，如《西湖景》《燕子矶》《古刹青山》等。有画春夏秋冬四季景色的，如《春风得意》《风雨归舟》《瑞雪丰年》《鸡声茅店月 人迹板桥霜》等，借鉴了几分文人画的山水情调，即使穿插人物故事，山水仍占主要画面。

燕子矶
三裁
58.3cm×41cm
版印笔绘

鸡声茅店月 人迹板桥霜　贡尖　112.2cm×66.4cm　版印笔绘

瑞雪丰年　贡尖　103.5cm×66cm　版印笔绘

花鸟年画则描绘生机盎然、丰满艳丽的动植物形象，经常出现的有山茶、玉兰、牡丹、荷花、菊花、梅花、松、竹等，果品则有桃、石榴、福橘、佛手、葫芦等，动物则有鱼、羊、鹿、鹤、马、鹌鹑、喜鹊、蝙蝠，还有龙凤、麒麟等，以比喻象征、谐音手法寓意吉祥。如牡丹象征富贵，石榴表现多子，桃子寓长寿，蝙蝠谐音福，鹿谐音禄，扇谐音善，柿子和如意组合为事事如意。有趣的是还出现了生机盎然的乡间蔬果和小动物，如萝卜、白菜、蟋蟀、蝈蝈等，有着浓郁的乡土气息和朴实的格调。

福缘善庆　三裁　59cm×34cm　版印笔绘

HOW TO READ TIANJIN
FERRY CROSSING

潮

　　十九世纪中叶，西方列强为了扩大商品市场，争夺原料产地，加紧了侵略和殖民活动，中国和周边国家陆续成为它们的殖民地或势力范围，清朝面临着巨大的危机。1856年至1860年第二次鸦片战争中，英法炮舰强行攻入天津大沽口。1860年《北京条约》签订，天津开辟为通商口岸，封建清王朝向着深渊一步步滑落。此时，附于时代的杨柳青木版年画，立即在内容上增加了表现政治、新闻的新功能，犹如一名站在前线的新闻播报员。

　　年画以图代文的形式，宣传国家、民族生死存亡的实况，唤醒民众的思想觉悟，涌现出前所未有的时事政治题材。有讥讽清朝封建统治阶级腐败、官僚无

能的，有赞美军民击退西方列强入侵的，有描绘百姓反抗封建势力压迫的，有介绍外来新鲜事物的，有提倡新学、维新民主的，有推动文明新风尚的，有宣传教育爱国、振兴中华的。

董军门设计大破西兵 西兵逆占大沽口　贡尖　84.5cm×50cm　手绘

反侵略的政治形势也让同时期的武侠小说盛行，戏曲形式多为长靠短打的折子戏。《道咸以来朝野杂记》载："和春，称王府班……专演联台彭公案、施公案中事迹，所谓短打戏也。春台部亦以武戏（靠把）见长，专演三国及精忠说岳、水浒

八蜡庙　三裁　60cm×38cm　版印笔绘

传、明英烈中诸剧，当年
此班称盛。"天津杨柳青
年画如一部存世的戏单，
留下了大量的演出剧目。
如《定中原》《除三害》
《金光阵》《刺巴杰》《贾
家楼》《白沙滩》《快活
林》《八蜡庙》。

白沙滩　三裁　54cm×31cm　版印笔绘

每一次重大事件发生，民间年画里即有所反映。《天津三岔河口夷船真迹全图》记录了西方蒸汽机战船和天津的庙宇、三岔河口同框的场景。遥想当年，侵略者的炮舰定是惊愕了某位画师的心，才将那一刻的历史定格在1858年的杨柳青年画中。而后，义和团和清军将士抗击八国联军的画面被制成年画《董军门设计大破西兵　西兵逆占大沽口》。

《火烧望海楼》真切地刻画出天津人民对侵略势力的愤恨与不屈的抗争。《刘提督克复水战得胜全图》描写战胜法军的战斗场面，全图绘制94人，集齐了统领、参将、侍卫、水兵、藤甲兵、弓箭手、长枪兵、火炮兵。这场战争发生在西南沿海，杨柳青画师本不得见，却创作得如此生动写实。

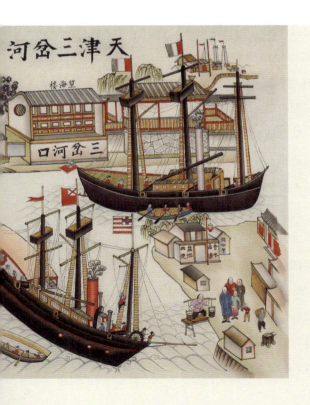

天津三岔河口夷船
真迹全图
贡尖
110cm×70cm
手绘

维新变法促使晚清出现了白话文运动，白话报刊、小说、改良戏曲、阅报社、宣讲所，一时成为大众启蒙的新载体，但这些形式对于目不识丁的普通民众来说还是无法破译的密码，于是这种浪潮立即出现在年画中。1900年，八国联军侵华，天津又一次惨遭战火。清政府签下了中国近代史上最为苛刻的不平等条约《辛丑条约》，对11个侵略国赔款4.5亿两白银，价息合计超过9.8亿两白银，并以关税和盐税等作抵押，分39年还清。这一丧失了主权与尊严的巨额负债，给中国民众带来深重的生存危机，激起了一场全国上下的救国运动，木版年画的传播作用最先被爱国的文化人关注。彭翼仲在1904年创办《京话日报》，认为民间年画"可以辅助教育，欲令其随时加以改良""以正风俗，长志气"。改良年画与改良国民思想在近代中国跌宕起伏的命运中同频共振，这是"年画改良"第一次公开刊行在出版物上，也是中国年画史上的里程碑。

1905年4月，由民间发起了一场轰轰烈烈的"国民捐"运动，之后迅速蔓延到全国。北京《京话日报》专门辟出篇"国民义务"专刊，登载各方认购募捐的来源和款数。面对国家危难，年画用自己独有的优势，发动民众救国捐款。齐健隆画店刻印的《国民捐》、戴廉增画店出品的《爱国大扑满》都配上了题字，浅说道理，让老百姓知道了物价上涨的原因是要赔款，明白了要参与进来，奋力救国。

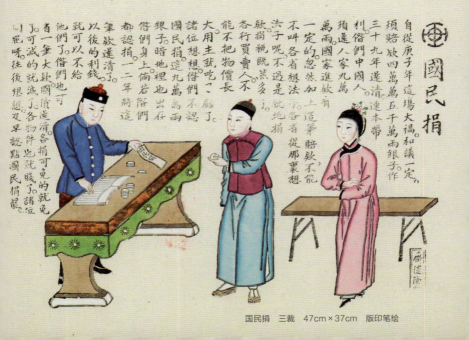

国民捐　三裁　47cm×37cm　版印笔绘

　　彭翼仲等知识分子不仅将中国传统木版年画的旧题材视为亟须改造的对象，还进一步倡导清除积弊、兴办教育等新主张，以实现开启民智、改良社会、救亡图存的愿望。主张一经提出，立刻得到了热烈响应，天津杨柳青、上海小校场、河北武强、山东潍县等年画产地纷纷出品改良年画。距离京城最近的北方年画中心，杨柳青木版年画力求图新，《改良十二相》《特别改良新闻皮谣》《发财图改良画》等一发而不可收，不断呼应着潮流之风。

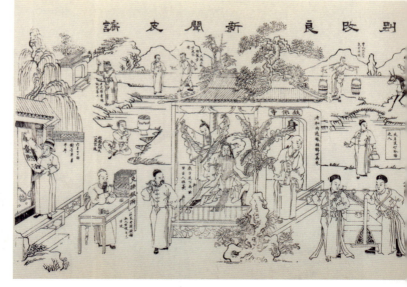

特别改良新闻皮谣（线坯）　贡尖　112cm×63cm　木版印制

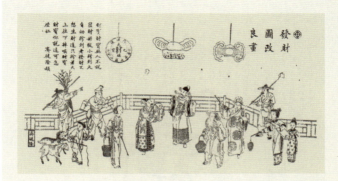

发财图改良画（线坯）　贡尖　96cm×53cm　木版印制

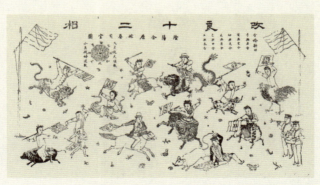

改良十二相（线坯）　贡尖　96cm×53cm　木版印制

齐健隆画店出品的《女子自强》，题跋上写道："若是男女一样做活赚钱，还有不好过的吗？"这或可视为女性独立意识的出现。在提倡女子教育、女子习武的年画作品中，除女子

女子求学　三裁　51cm×39cm　版印笔绘

女子爱国　三裁　59cm×36cm　版印笔绘

女子自强　三裁　47cm×37cm　版印笔绘

求学、女子爱国的新风向外，还出现了一批习文尚武的新女性形象，使看惯了传统年画仕女柔美形象的民众眼前一亮。《贞女学堂》《女学堂演武》不仅画出短装持枪的女性形象，而且房舍建筑、灯具、什物都追求时尚。甚至出现了《改良笑谈男女双怕》《顶灯怕婆》这样追求男女平等、挑战男尊女卑旧观念的漫画形式年画。中国女性再不是传统年画中低眉顺目、相夫教子、大门不出、弱不禁风的小女人，她们以崭新的形象走入画中，极具颠覆性。她们或启蒙思想，或宣传科学，或穿新装，或移风易俗，读书识字、习练体操、提枪上马，一经出现，即是焦点、亮点。

天津图　贡尖　100cm×60cm　手绘

天津开埠后，社会急剧转型，新鲜事物汹涌而至，中西文明不断碰撞和交融，城市景象瞬息万变，加高的河坝大堤，笔直的街道、堂皇的市政大厦、鳞次栉比的洋行和涉外酒店，还有教堂、赛马场，这些西方近代事物也逐渐出现在天津城。一幅《天津图》标注了多达50个地名，鼓楼、城隍庙、天后宫、三岔河口、铁桥、望海楼、机器磨坊、海关衙门……年画里并存的中式建筑与西洋景，穿越时空，为我们拼凑出百年前天津城市的模样。

传统年画题材《沈万山接财神》《财神接财神　进来聚宝盆》的画面中，已将中式庭院创作为西洋建筑。礼帽、手杖、自行车等新事物，也成为年画热衷表现的"西洋景"。海陆空出现的交通工具、街头河岸的新鲜事物、进入家庭的新式礼仪开始融入传统生活。

沈万山接财神　贡尖　99cm×59cm　版印笔绘

新刻天津紫竹林跑自行洋车　贡尖　108cm×66cm　版印笔绘

轮螺伞盖花礶（罐）鱼长　贡尖　108cm×66cm　版印笔绘

麒麟送贵子　三裁　29cm×48cm　版印笔绘

随着西方工业革命的不断升级，中国木版年画被卷入到混杂着商业野心和技术进步的潮汐中，起落沉浮。国门已经被坚船利炮打开，外国商品大量倾销入中国，占据了城乡广大市场。在年画市场，动荡不安的生活让长期以杨柳青木版年画加工为副业的乡民，为节省成本而选用洋纸和品红、品绿之类的化学颜料进行刷印，制作工艺日益简化，后来发展为全部使用"洋货"。这一时期的杨柳青木版年画出现了较以往强烈的色彩，形成了一种巨大的视觉冲击力，虽还未失民间拙朴，但"洋纸"脆、薄、黄，洋颜料色艳、易褪色等问题，开始影响到北方年画中心的出品质量和艺术水平。这一时期的杨柳青木版年画被称为"卫抹子"，它在尽力延续对外来生活的记录与接纳中，竟同这称呼一起，呈现出最浓烈的"一抹"鲜艳后，步入式微。

乐不够　三裁　52cm×36cm　版印笔绘

德国人阿洛伊斯·赛尼菲尔德1796年发明了石印技术后，它立即风靡欧洲。1847年，英国传教士麦都斯将该技术引入上海，创办墨海书馆，刊印传教用的宗教书籍。1860年，照相技术使石印制版得以随意放大缩小，这是印刷技术的革命。彩色石印"洋画"的人物如同照相一样，用擦笔画法绘制，突出写实风格，景物出现透视。清末，石印技术进军中国年画市场。仿照天津杨柳青木版年画制成的石印年画，带有明暗墨迹，失掉了柔丽与细腻。同时，月份牌年画也在天津出现。这两种新的年画形式售价比木版年画低廉，极大地冲击了木版年画市场。后来，年画作坊为改进印制方法，利用机器代替手工印制，以增加产量，获得效益。这种年画逐渐占领了苏州桃花坞、天津杨柳青南北两大木版年画市场。

1912年，中华民国成立，清朝灭亡，此时社会稍显安定，反映当时社会变革的年画作品受到欢迎。《推灯纪念》描绘一个娃娃一手执五色旗（中华民国初年的国旗），另一手推花灯，寓意拥护民国推翻清廷统治，

推灯纪念　三裁　63cm×36cm　版印笔绘

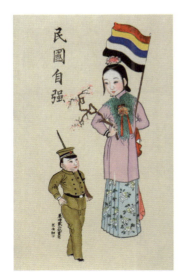

中华成立 民国自强　三裁　38cm×85cm×2　版印笔绘

当时年画将它作为一件新鲜事物记录下来。《文明进步世界大同》《文明娶亲》和《中华成立 民国自强》《实现和平》，用画名直接表达思想观点，《阳春白雪 南风解愠》依旧是美人画，但人们开始享受拉手风琴、听唱片的新生活，常伴美人的童子也换了衣装。《和合生财》中童子推了几百年的送财车改成了汽车，《添财进喜》《喜自天来》的人物着装，能够很容易区分出现实人物与财神童子。

文明娶亲　贡尖　115cm×66cm　版印笔绘

民国初年，直隶巡按使公署天津教育司社会科对年画进行改良，旨在辅助社会教育，破除陈旧陋俗，革去社会恶习。1913年3月23日的《大公报》本埠新闻头条中，以《改良社会之进步》为题对改良年画做了报道："教育司社会科去年编印改良年画，营销畅旺，社会欢迎……当时改良年画以杨柳青为中心，辐射至天津乃至全国。"1915年，天津教育司司长李金藻指令杨柳青年画作坊绘刻"四戒"，即戒食鸦片、戒赌博、戒早婚、戒嫖淫，宣传文明进步和健康生活。同年，派遣"天津教育司"办事处处长林兆翰管理民间年画出版事业，推动了改良年画的发展。戴廉增画店刻印了《恩加乡里》《谎言无益》《信实》《夫唱妇随》，"获得了天津直隶教育司奖金银洋八元"。

谎言无益　三裁　54cm×31cm　版印笔绘

恩加乡里　三裁　58cm×35cm　版印笔绘

信实　三裁　57cm×34cm　版印笔绘

此后，天津教育司又委派杨柳青镇南乡庄子的郑国勋管理年画改良之事。他将传统木版年画分为三类，作为整理旧年画的标准。第一类，禁止再版、重印；第二类，原版暂存暂不做决定；第三类共同鉴定，认为可再版刷印者大量印行销售。其中木版刷印的"春牛图"和门神、灶君等传统题材，因维系着与农民劳动生产的关系和千百年来民族风俗习惯，不在整理之列。禁印的作品多与一夫多妻、暴力反抗等不良导向有关。历史故事和现实生活、吉祥喜庆题材的作品，都列为可以翻刻刷印的年画。他尤其推崇齐健隆画店印制的改良年画，认为店商齐旭初颇有爱国思想，对他印制的如《女子求学》《女子自强》《不知自量》等不做处理，一律再版重印。

齐健隆画店刻印的《渔人得利》更是开辟了年画描绘现代生活题材的新路。画面以荷塘为背景，水中两个儿童

各抱与之等高的鲤鱼、鲇鱼；岸上四位渔翁，一位从河塘钓得大鲤鱼，另三老各提鳜鱼、鲢鱼、鲤鱼；路旁渔娘头戴竹笠手提竹篮前来送饭，一儿童肩扛一篮食物跟在母后，俨然一幅渔家的丰收欢乐图。图上题词：

自渔业肇兴、欧美沿海以及东瀛各国日事经营，日见发达，颇擅天地自然之美利。我国创设渔业公司有官府以保护之，为实业上辟以绝大利源，所谓渔人得利，固不俟"鹬蚌相争"之日也。不禁翘足以待之。

渔人得利（线坯）　贡尖　104cm×55cm　木版印制

题词记录了我国已有渔业公司，宣传倡导国民要重视国家行业政策之利，提示国人不要只顾在互相争抢中得到的私利，鼓励要以实业图强救国。

直隶巡按使公署天津教育司改良年画的工作因军阀混战、农民购买力下降而未能持续进行。1927年12月1日《经济半月刊》第一卷第三期刊登了一篇《杨柳青年画业之现状》，上面记录"自民国三年以后，画店渐多改用石印""因之杨柳青一带旧式木版所印年画，颇受打击，资本较小之画店，几至不能立足，惟开张年久、信用素著、善于经营者，尚能勉强支持。盖旧有木版人工着色画尚有一部分之销路，未至于完全杜绝"。

1932年11月7日《益世报》刊登《河北各县特产调查》一文中记有："杨柳青镇产年画最著名，乾隆年间，画店有廉增、美利、廉增利，健隆、惠隆、健惠隆。继起者则有荣昌、义兴立、盛兴、爱竹斋等。庚子以后，为画业盛极之时。至今存在者唯有廉增一家耳。店主戴文书，住河南草坝。"

1937年抗日战争全面爆发。年画本来是表达太平景象的装饰品，在日寇到处烧杀掳掠的年月，无人再有兴致购买年画。

抗战结束，内战再起。覆巢之下，焉有完卵，木版年画也被时代所裹挟。石印年画取代了木版年画，胶印年画取代了石印年画，而战争，则消弭了所有……

新

从第二次鸦片战争到晚清洋务运动，从八国联军侵华到北洋乱象，从抗日战争到平津战役……这些历史现场，杨柳青木版年画从来没有缺席，它以"快""潮""新"的姿态，和城市共同经历了百年的屈辱与自强、启蒙与变革、觉悟与抗争、不屈与坚持。

1935年7月15日，徐熙影在《庸报》上发表题为《几种亟待改造的大众艺术》的文章，论及年画时讲道：

"先就教育关系来说，例如儿童看到壁上贴着的《孟母断机图》，或是'负薪''挂角''悬梁''刺股'等的图画，起初他当然不能领会，可由家人讲解，而后晓得。假如他看家中有《薛礼征东》《岳飞抗金》等图画，在他的脑子里便更深深地印上了爱国的印象，他的思想必然受印象的影响而具有爱国热忱及反抗

孟母择邻　贡尖　102cm×58cm　版印笔绘

侵略我们的帝国主义。"

"年画既然这么重要，所以我们要提倡它。可是现在的年画内容，好的固然有，而陈腐不堪的却不少，所以我们要改造它。提倡与改造年画须有这几步工作：一、在无论在哪个艺术学校，设立年画科系，造就年画专门人材或创立年画研究所；二、政府提出一部分款，在各商埠经营年画工厂，聘请年画专家改革以前之色彩不调和及内容陈腐；三、对陈腐不堪的年画严禁印售。"

这篇文章在我国年画史上第一次提出要在美术学校设年画系、创建年画研究所、改革年画和建立国营年画工厂，代表了当时进步的知识分子对民间年画的再认识。

年画永恒的宣传作用，使它在中国人民反抗外来侵略的民族战争中得到新的发展。江丰《解放区的新年画工作》一文记载，解放区刷印新年画开始于1939年，当时为了配合春节下乡宣传，延安鲁迅艺术学院美术系自刻自印了两种年画，分发给农民粘贴。这些画虽然很受群众欢迎，但因美术工作者对群众的要求还不够重视，所以此工作没能继续下去。年画工作为解放区的美术工作者所重视，是在延安文艺整风以后。从1942年毛泽东《在延安文艺座谈会上的讲话》发表到1945年抗日战争胜利前夕，新年画的题材内容渐渐呈现出光明欢乐的格调。

解放战争时期，解放区的新年画有了长足的发展，明显继承了传统年画吉祥喜庆的寓意和匀称饱满的形式，内容大都是农民翻身后的生活和革命题材。这是因为有更多的民间艺人参加到新年画创作队伍中来，也因为美术家们欲达到为工农兵服务的目的，思想上重视民间美术并向艺人学习。1948年创刊的《华北文艺》上刊载的《冀鲁豫边区民间

毛主席和女拖拉机手　何国华　贡尖　101cm×59.5cm

艺术研究座谈会节录》传达出发展新年画的观念：一、民间艺人组织起来；二、拿起笔墨、颜料、刀刷案子……投入新文化阵营，去歌颂人民功臣、人民英雄；三、扫除老一套，改换新脑筋，不能甘心落后；四、实际行动起来，教育群众向英雄们学习，揭露卖国奸贼杀人暴行及地主恶霸罪恶，号召人民申冤报仇，爱国自卫。

冀鲁豫边区经过初步改造，民间艺人组织了民间艺人联合会。在当地机构的指导下，三年中刻印年画近百种。江丰在《解放区的新年画工作》写道："冀鲁豫边区几乎完全依靠改造旧画店和旧艺人开展新年画的工作，而且作出了很大成绩。它的做法很可以作为今后改造旧年画和旧艺人的模范。"

1949年10月1日，中华人民共和国成立。中央人民政府文化部在11月27日的《人民日报》发布《关于开展新年画工作的指示》，明确指出"年画是中国民间艺术最流行的形式之一"，应将年画工作作为春节文教宣传的重要任务之一。要求美术工作者"在年画中应当着重表现劳动人民新的、愉快的斗争生活和他们英勇

喜学英雄　那启明　贡尖　64cm×113cm

健康的形象""在技术上必须充分运用民间形式，力求适合广大群众的欣赏习惯"。全国文化和出版部门迅速响应，在贯彻执行中采取了观摩、体验、采风、画家与艺人联合创作等许多扎实有效的办法。

天津美术出版社成立了杨柳青年画编辑组，很多美术工作者参与到新年画创作之中。何正慈、江泽、那启明专门从事年画编辑工作，他们为了搜集年画资料，曾到山东、山西和东丰台等地进行采风活动。何正慈在《杨柳青年画采风工作小记》中，对"三访东丰台"写道："我们小组前后三次来到这里，每次都感到来晚了。如第一次在大漫浸村一姓刘的家里，还见到许多堆积的画版。但等第二次去时，已经有大部分被拉走做了他用，真是令人惋惜，深感很有抢救的必要。"

获得新生的中国人民正迫切需要从年画里看到新生活新面貌，这一时

期的新年画创作以反映新中国建设中的新气象为主。英勇健壮的劳动英雄取代了旧年画中柔弱的仕女，拖拉机取代了耕牛，新机械、新技术、新工作通过年画被劳动人民知道，生产的重要和劳动的光荣被年画创作者反复强调，革命领袖和人民解放军成为讴歌的对象。据统计，1949年，全国23个地区创作了新年画379种，发行数量近700万份。

淀上渔歌　张锡武　贡尖　111cm×63cm

传统杨柳青木版年画的创作，是装饰性和现实性、娱乐作用和教育作用的完美统一，是经历长期经验积累而形成。专业画家创作新年画的要义，提高技法的表现力是一方面，而深入生活、感知生活是另一方面，而这两个方面须并重。新年画创作，既要新又要像，"新"是时代的新内容、新形式；"像"是一看就是"杨柳青年画"。

打虎图　邵文锦　贡尖　66cm×114cm

1960年至1963年，郭钧同志曾组织天津美术出版社的画家，创作出一批反映现实生活的杨柳青年画，如张鸾的《五子爱清洁》《三打白骨精》、邵文锦的《打虎图》、那启明的《金粟碧波》、何国华的《毛主席和女拖拉机手》、张锡武的《淀上渔歌》……画家们为新杨柳青年画的创作开辟了途径。

五子爱清洁　张鸾　贡尖　113cm×69cm

三打白骨精　张鸾　贡尖　114cm×68cm

新中国成立后，有国家扶持、国策助力，年画为国民经济复苏传达着各种文化之声，杨柳青木版年画开始释放出蓄藏已久的力量。

1953年，杨柳青镇的韩春荣、霍玉堂、张兴泽组织新中国成立前倒闭的"新记""景记""德胜恒"等年画作坊的几名老艺人，成立了年画生产互助组，凑了40元买材料，开始印制年画。时任天津市文化局局长的张映雪，在《春风吹又生》的文章里这样回忆道："大概是1953年冬，我们再去杨柳青镇。在一个院落的两间小屋里，生着小煤球

张映雪（右）与年画老艺人霍玉堂

杨柳青木版年画画师潘忠义和杨柳青画社的首批学员

炉，有三四个老人围在案旁，印刷灶王、神马和娃娃抱鱼的小幅年画。"1956年，天津市文化局拨款资助，在杨柳青镇河沿大街二街一号院内新建十余间房，成立了"杨柳青年画生产合作社"，这是新中国成立后，天津杨柳青木版年画第一个由国家资助的"家"。

合作社开始招收学员，成立杨柳青年画学习班，新老传承人共同对一些被毁坏或接近失传的作品，进行了重刻和复制；对损坏严重的画版，进行整理和修补。

1956年"天津荣宝斋""杨柳青年画生产合作社""德裕公画店"合并为"天津德裕公画庄",由公私合营图书总店指导。1959年改名为"杨柳青画店",后更名为"天津杨柳青画社"。杨柳青木版年画的生产日渐复苏,出版品种日益增多和木版水印画共同得到发展。

1960年,在天津市文化局的领导下,大规模开展杨柳青年画资料的调查和征集工作。为筹备杨柳青年画博物馆,征集到画版4328块,其他草稿、底稿、过稿等与年画有关的资料1582件,都进行了详细的登记造册。

国画家、油画家、版画家的共同加入,使杨柳青木版年画的创作者逐渐从画师中分离出来,与民间艺人之间互相学习、取长补短。他们在谈学习体会时,曾经这样描述:"粉脸其实并不厚施铅粉,而是极为轻、细、匀、润。单纯质朴的套版,流动的水笔,厚色的持重,水色的虚灵,软硬色阶的对比,色块点布的动与静,以及和那活跃在构图聚散运动中的主体——人物神态相配合，形成了自己的节拍、自己的音响，倾吐了自己的感情，如同一支富有乡土气息的民歌。我们心中激起的那种反响，久久低回萦绕。"

　　杨柳青木版年画的守护人和传承人一道，感知着新社会，迎接新时代的新呼唤，为杨柳青木版年画蓄力起程。

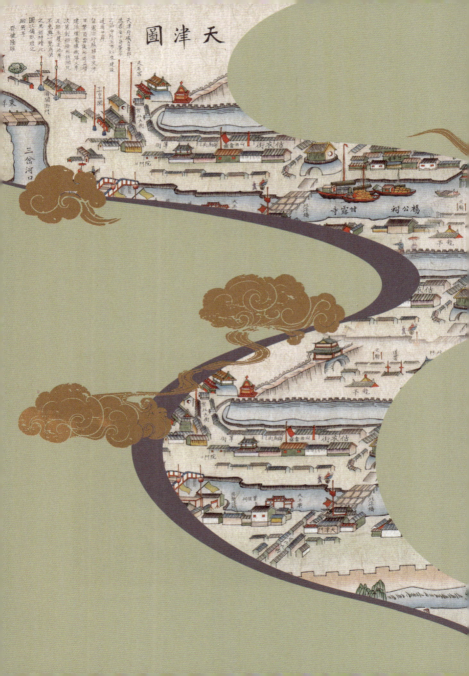

思

HOW TO READ TIANJIN
FERRY CROSSING

思

历经400多年历史的杨柳青木版年画，从古秀雅韵到艳丽丰繁，再到粗犷质朴，为我们展示了来自中国不同时代的文化传承与变量。雕刻的木版和印绘的年画，接续了历史文化、百姓生活，包容了价值观念、行为准则、道德教化、精神情感，成为一个民族在政治、宗教、经济、社会、习俗等诸方面的写照。

1907年，俄国汉学家阿列克谢耶夫在中国的旅行日记中，表达了他对年画价值的思考，"我们来到中国著名的北方年画产地——杨柳青。这里的年画题材非常丰富。说实在的，我不知道世界上哪一个民

青年时代的阿列克谢耶夫
（汉名阿理克）

《1907年中国纪行》书影

阿列克谢耶夫与其北京的老师

族能像中国人民一样，用如此朴实无华的图画充分地表现自己。这里描绘了他们多彩的生活、神奇的世界，有讲述传说寓言、神话的，有进行道德教育、针砭时弊的，有漫画、桃符、画谜，还有以张灯结彩、披红挂绿、祭拜神明为主要内容的过年画。"

对于木版年画里那些充满象征意义的符号和谐音时，阿列克谢耶夫发出感叹："谁能想到？年画里一个快乐奔跑着的儿童，一只脚光着，另一只脚上穿着草鞋，这表达了一种愿望，是风调雨顺？而两个长相完全一致的孩童，一个手中拿着锦盒，另一个举着一朵荷花，竟然是'合和'的寓意。"

对于100多年前的外国汉学家来说，中国的象征符号和谐音是个哑谜；而100年后的今天，当我们面对那些已经远离当代生活的画面时，依然会"雾里看花"。

其实，木版年画里寓意吉祥的象征符号和谐音，是中国社会一个重要的共同语言，作为当代人的我们，只要向历史走近一步，就会发现它们其实并不遥远。农耕时代，旱时穿鞋，涝时光脚，而一只脚穿鞋、一只脚光着，则象征着风调雨顺；锦盒与荷花意味着和谐和睦。

不难发现，木版年画在借助象征、谐音并组合出新寓意方面得心应手。中国深邃的传统文化和木版年画一道，进入了中国人的家庭，表面上具有象征意义的符号和谐音一成不变，但因为时代、环境、生活条件的不断变化，不同时代地域的中国人，会不断将它们重新组合出不同的含义。

合和二圣　三裁　51cm×34cm　版印笔绘

四季花开　三裁　69cm×54cm　版印笔绘

阿列克谢耶夫曾谈到过对中国文化的见解："中国艺术，无论高雅还是低俗，都努力追求深刻的寓意。""应当把它作为一种独一无二、自成特点的人类思想体系。"木版年画中，那些具有象征意义的中国传统文化符号，表达的是中国人的思想，是几千年来中国人在生活中积淀的共同认知，是中国传统文化绵延不绝的根脉，是我们传承、保护、发展物质与非物质文化遗产的价值所在。

文化既有历史的连续性，又会根据不同时代的文化需求，不断地被改变。所以，中国人的传统文化是活水，需要新时代的人回望历史，用心发现。

与阿列克谢耶夫在中国游学的感受不同，身处国家危难时刻的王树村，开启了保护家乡木版年画的一人模式，继而成为中国民间美术史学家和中国民间美术品收藏家。

王树村出生于1923年，是杨柳青镇本地人。在他存世的大量杂记和著作的前言部分，我们能反复读到在抗日战争前，他对家乡的美好回忆：家乡是民间美术的胜地，剪纸、窗花、泥塑、灯笼、令人眼花缭乱。年画作坊林立，画样层出不穷，如同畅游于民间年画展览会。而突如其来的日本侵华战争，令王树村心爱的家乡年画

王树村先生在天津杨柳青画社鉴定杨柳青年画资料

惨遭损毁：镇上的年画作坊相继倒闭，许多积存多年的年画老版，也被刀砍斧劈付之一炬。14岁的王树村在痛楚中开始了他的民间美术拓荒之路。直到2009年去世，他一生收藏民间美术品17000余件，著述75部，收集最多、研究最多的还是家乡的杨柳青木版年画。

王树村发愿要为中国人的民间艺术写书。几千年的中国美术史上，文人美术的史料、画论最多，而民间美术的史料匮乏，因为如此，他对年画的保护与研究从未停歇。中国第一部彩印民间美术画册《杨柳青年画

王树村先生民间采风照片

资料集》,《中国民间画诀》《杨柳青年画研究》《中国年画史》《中国各地年画研究》《苏联藏中国民间年画珍品集》……75部中国民间美术著作中,一大半是研究年画的成果,同时还有大量研究中国民间艺术其他门类的著作:《中国剪纸艺术史话》《中国吉祥图案集成》《中国店铺招幌》《中国传统行业诸神》《中国美术全集·石刻线画史》《上元灯画》……曾经,民间美术如风筝般飘摇在历史长空中,这些研究成果恍如风筝线,只要握在手中,不管"风筝"飘了多远,一拽,它就回来了。

楊柳青年畫
畫訣

畫訣是民間工匠在長期生產創作中慧理出來的創作方法的匯總，集合了楊柳青創作中方法的精華。

古時民間藝人受教育程度低，所以畫訣多為歌謠形式，師徒口傳心授的方法傳授便於廣泛傳播。

秋菊多佳色

秋樹叶稀稀

登高望、賞菊黃

身段：武將揚手遮盔頭，文官捻鬚露半手，小生不作呆立像，美人摸鬢側面瞅。

旦：画旦難画手，手是心和口，若要用目送，神情自然有。

活潑稚气是頑童

書齋：樹根椅，古木几，繡錦褥，花竹榻，圖經史，滿書架，冬宜竹，春宜花，笔墨硯，陳桌上，龍窯瓶，插拂塵，右壁劍，左壁琴，一切顏色忌金銀。

杨柳青年画画诀展示

通过对杨柳青木版年画的研究，寻找中华优秀传统文化更深融入当代生活的途径，这将是一个永恒的话题，值得每一代人探索与深究。同时，透过杨柳青木版年画，回望中国传统文化，穿越的必然是中国人的精神世界，那正是我们行为观念的来路，也是我们从未走远、最终还要回来的家。

天津杨柳青年画　　天津杨柳青画社介绍

位于天津市河西区佟楼三合里 111 号的天津杨柳青木版年画博物馆

参考文献

古籍

1. （清）富察敦崇：《燕京岁时记》，北京古籍出版社，1981年版。
2. （清）载龄等修纂：《清代漕运全书》卷90，北京图书馆出版社，2004年。

专著

1. 阿英编著：《中国年画发展史略》，朝花美术出版社，1954年。
2. 薄松年：《中国年画史》，辽宁美术出版社，1986年。
3. 薄松年：《中国年画艺术史》，湖南美术出版社，2008年。
4. 卜僧慧、濮文起辑：《天津的年节风俗》，天津古籍出版社，1992年。
5. 陈绶祥：《遮蔽的文明》，北京时代华文书局，2016年。
6. 陈克：《东鳞西爪天津卫》，天津大学出版社，2015年。
7. 陈平原、夏晓红编著：《图像晚清》，百花文艺出版社，2001年。
8. 崔锦：《天津民间美术》，天津人民美术出版社，2015年。
9. 傅崇兰：《中国运河城市发展史》，四川人民出版社，1985年。
10. 葛兆光：《到后台看历史卸妆》，四川人民出版社，2021年。
11. 郭味蕖：《中国版画史略》，上海书画出版社，2016年。
12. 郭蕴静、涂宗涛等编：《天津古代城市发展史》，天津古籍出版社，1989年。
13. 韩琦、[意]米盖拉编：《中国和欧洲：印刷术与书籍史》，商务印书馆，2008年。
14. 李超、妙笛、张金霞：《中国古代绘画简史》，中华书局、上海古籍出版社，2010年。
15. 李世瑜：《社会历史学文集》，天津古籍出版社，2007年。
16. 李泽厚：《美的历程》，生活 · 读书 · 新知三联书店，2009年。
17. 刘炎臣：《刘炎臣文集》，天津古籍出版社，2015年。
18. 罗澍伟主编：《近代天津城市史》，中国社会科学出版社，1993年。
19. 麻国庆、朱伟：《文化人类学与非物质文化遗产》，生活 · 读书 · 新知三联书店，2018年。
20. 马书田：《中国民间诸神》，团结出版社，1997年。
21. 茅盾：《茅盾讲中国神话》，天津人民出版社，2022年。
22. 潘鲁生主编：《中国民艺馆年画雕版》，山东教育出版社，2020年。
23. 沈泓：《年画里的中国》，中国青年出版社，2015年。
24. 唐德刚：《从晚清到民国》，中国文史出版社，2015年。
25. 天津市西青区政协文史资料研究委员会编：《西青文史》第十二册、第十三册，2015年。
26. 王海霞主编：《民间梦 报国志：王树村先生纪念文集》，汕头大学出版社，2012年。
27. 王树村、王海霞：《年画》，文化艺术出版社，2012年。
28. 王树村编著：《艺林拓荒广记：王树村文集》，天津杨柳青画社，2008年。
29. 王树村：《中国门神画》，天津人民出版社，2005年。

30. 王树村：《中国民间美术史》，岭南美术出版社，2004 年。

31. 王树村：《中国年画发展史》，天津人民美术出版社，2006 年。

32. 王树村：《中国年画》，北京工艺美术出版社，2002 年。

33. 张伟、张晓依：《遥望土山湾》，同济大学出版社，2012 年。

34. 张伟、严洁琼：《晚清都市的风情画卷——上海小校场年画从崛起到式微》，学林出版社，2016 年。

35. 张映雪：《美术文集》，天津杨柳青画社，1989 年。

36. 郑振铎编著：《中国古代木刻画史略》，上海书店出版社，2006 年。

37. 中国人民政治协商会议天津市西郊区委员会文史工作委员会编：《津西文史资料选编第五册》，1991 年。

38. 中国艺术研究院美术研究所《美术史论》丛刊编辑部编：《美术史论》丛刊第一辑，文化艺术出版社，1981 年。

39. 中央美术学院美术史系、中国美术史教研室编著：《中国美术简史》，中国青年出版社，2002 年。

40. 左汉中：《中国民间美术造型》，湖南美术出版社，1992 年。

译著

1. ［俄］米·瓦·阿列克谢耶夫：《1907 年中国纪行》，阎国栋译，云南人民出版社，2001 年。

2. ［俄］王西里：《中国文学史纲要》，阎国栋译，中央编译出版社，2016 年。

3. ［法］皮埃尔·辛加拉维鲁：《万国天津》，郭可译，商务印书馆，2021 年。

4. ［美］高居翰：《画家生涯：传统中国画家的生活与工作》，杨贤宗、马琳、邓伟权译，生活·读书·新知三联书店，2012 年。

5. ［美］高居翰：《图说中国绘画史》，李渝译，生活·读书·新知三联书店，2014 年。

6. ［美］托马斯·库恩：《科学革命的结构（第四版）》，金吾伦、胡心和译，北京大学出版社，2003 年。

7. ［美］巫鸿：《废墟的故事》，肖铁译，上海人民出版社，2012 年。

8. ［美］杨庆堃：《中国社会中的宗教》，范丽珠译，四川人民出版社，2016 年。

9. ［美］约翰·奥莫亨德罗：《像人类学家一样思考》，张经纬等译，北京大学出版社，2017 年。

论文

1. 姜彦文：《"卫抹子"的源与艺》，《年画研究》2016 年，第 126 页。

2. 刘永华：《清代民众识字问题的再认识》，《中国社会科学评价》，2017 年第 2 期。

3. 王进：《京杭大运河漕运经济对杨柳青木版年画兴起之影响》，《苏州工艺美术职业技术学院学报》，2018 年第 2 期。

4. 冀北：《清末钱慧安与杨柳青的合作关系考辨》，2022 年中央美术学院博士生毕业论文，第 78 页。

后记

　　1404年12月23日，天津筑城设卫，是中国古代唯一拥有确切建城时间的城市。2022年，她即将迎来618岁生日。

　　盂夏时节，风暖蝉鸣，我们一众出版人齐聚一堂，筹划出版"阅读天津"系列口袋书，旨在贯彻新发展理念，挖掘地域文化，突出趣味性、故事性、通俗性，以"小切口"讲好天津故事，反映新时代人民心声，为城市献上一份贺礼。大家各抒己见，同一座城市却有着不同的关键词：海河岸广厦高耸，滨江道游人如织，这是一座"繁华"的城；古运河舟楫千里，天津港通达天下，这是一座"开放"的城；老城厢幽静雅致，五大道异域风情，这是一座"包容"的城；相声茶馆满堂彩，天津方言妙趣生，这是一座"幽默"的城……

　　倘若一座城市内部千篇一律，必然乏善可陈。不同的关键词，恰好表明天津城市图景具有多样性和丰富性，蕴藏着广阔而灵动的书写空间。然而，究竟从何处下笔为好？

我们又陡觉茫然。

著名作家冯骥才先生曾说："评说一个地方，最好的位置是站在门槛上，一只脚踏在里边，一只脚踏在外边。倘若两只脚都在外边，隔着墙说三道四，难免信口胡说；倘若两只脚都在里边，往往身陷其中，既不能看到全貌，也不能道出个中的要害。"

想来颇有道理，大家要么是土生土长的老天津人，要么是迁居多年的新天津人，早已"身陷其中"，真有必要迈出门槛，重新"远观"这座熟悉的城市。远观之远，非空间之远，乃心理之远。于是，我们计划佯装游客，尽量卸下自诩熟稔的"土著"心态，跟随熙熙攘攘的旅人，再次探寻天津。

漫步五大道，各式各样的洋楼连墙接栋，百年前多少雅士名流、政要富贾寓居于此。骑行海河畔，一座座桥梁飞架两岸，一桥一景，风格各异。游逛古文化街，泥人张、风筝魏、崩豆张等天津特产琳琅满目，坐落街心的天后宫庄严肃穆，漕运兴盛时水工船夫在此会聚求安。徐步杨柳青，古镇曾经"家家会点染，户户善丹青"，年画随运河水波，销往各地。落座津菜馆，罾蹦鲤鱼、煎烹大虾、清蒸梭子蟹、八珍豆腐，"当当吃海货，不算不会过"道出天津人对河鲜海味的偏爱。驱车观海滨，天津港货船繁忙，东疆湾海风拂面，大沽口炮台遗址见证了中华民族抵御外辱的不屈意志，被称为"海上故宫"的国家海洋博物馆收藏着无穷的海洋奥秘……

数日游走，一行人深感佯装游客也是一件力气活儿，哪怕再花上三五天也游不完这座城。旅途的尾声，我们选择登上"天津之眼"摩天轮，将大半座城市的繁华尽收眼底。座舱缓缓升至最高处，眼前的三岔河口正是海河的起点，所谓"众流归海下津门"，极目远眺间，心中豁然开朗！"举一纲而万目张，解一卷而众篇明"，近在眼前的海河不正是那"一纲""一卷"吗？上吞九水、中连百沽、下抵渤海，我们数日以来的足迹，似乎从未远离过海河！

从地图上看，海河水系犹如一柄巨大的蒲扇铺展在大地上，其实她更像是这座城市庞大而有力的根系，将海河儿女紧紧凝聚——城市依河而建，百姓依河而聚，文化依河而生，经济依河而兴。

经过反复讨论，我们决定推出"阅读天津"系列口袋书第一辑"津渡"，以海河为线索，串联起天津的古与今、景与情，讲述海河历史之久、两岸建筑之美、跨河桥梁之精、流域物产之丰、沽上文学之思……

众人拾柴火焰高。在出版过程中，感谢中共天津市委宣传部的谋划和指导，践行守护城市文脉的责任担当，鼓励我们打造津版好书；感谢冯骥才、罗澍伟、谭汝为、王振良先生，为我们指点迷津，完善策划方案；感谢"津渡"的每一位作者、插画师、摄影师、设计师，付梓之时，更觉诸位良工苦心。

最后，感谢抚书翻看至此的读者！甲骨文的"津"，字形像一人持篙撑舟，我们也期望"津渡"犹如一叶扁舟，载着读者顺水而下，遍览一部流动的城市史诗！

"阅读天津"系列口袋书出版项目组

2022年9月